Camille agus na LUSANNA GRÉINE

Scéal faoi **Vincent van Gogh**

le LAURENCE ANHOLT

An tÁisaonad Lán-Ghaeilge

San áit a raibh Camille ina chónaí, d'fhás na lusanna gréine
go han-ard. Bhí gach ceann acu cosúil le grian bheag–

páirceanna móra de ghrianta lonracha buí.

Gach lá i ndiaidh am scoile ritheadh Camille tríd
na lusanna gréine le bualadh lena athair, a bhí ina
fhear poist. Thugadh sé cuidiú dá athair na málaí
troma poist a thógáil anuas as an traein.

Lá amháin tháinig strainséir chuig
sráidbhaile Camille. Bhí hata tuí agus
féasóg bhuí air. D'amharc sé thart le
súile beo donna.

"Is mise Vincent, an t-ealaíontóir," ar seisean le Camille agus miongháire air.

Bhog Vincent isteach sa teach buí a bhí ag bun shráid Camille.

Ní raibh airgead ar bith ná cairde ar bith aige.

"Ba cheart dúinn cuidiú leis," arsa athair Camille.

Líon siad an chairt le potaí agus soithí agus seantroscán agus thug siad chuig an teach buí iad.

Bhain Camille moll mór lusanna gréine don ealaíontóir agus chuir sé i bpota mór donn iad.

Bhí áthas an domhain ar Vincent go raibh beirt chairde mhaithe aige.

D'fhiafraigh Vincent d'athair Camille ar mhaith leis go
ndéanfadh sé pictiúr de agus é gléasta ina chulaith
oibre ghorm.

"Caithfidh tú suí go socair," arsa Vincent.

Bhí Camille ag coimhéad ar gach rud. Bhí dúil mhór
aige sna dathanna geala a d'úsáid Vincent agus i
mboladh láidir na péinte.

I ndiaidh tamaill bhí aghaidh athair Camille le feiceáil ar
an chanbhás.

Bhí an pictiúr aisteach ach álainn.

Dúirt Vincent gur mhaith leis pictiúr a
dhéanamh de gach duine sa teaghlach –

máthair Camille,

a dheartháir mór,

a dheirfiúr bheag . . .

agus ar deireadh, Camille é féin.

Bhí Camille iontach sásta agus iontach tógtha faoi seo.

Thug Camille a phictiúr isteach chun na scoile leis. Bhí sé ag iarraidh é a thaispeáint do gach duine.

Ach níor thaitin an pictiúr leis na páistí eile. Thosaigh siad a gháire faoi.

Chuir sé sin an-bhrón ar Camille.

I ndiaidh am scoile, thosaigh cuid de na páistí ba shine a mhagadh ar Vincent.

Rith siad ina dhiaidh agus é ag dul amach a phéintéireacht.

Thosaigh na daoine fásta á chrá fosta. "Tá an t-am aige post ceart a fháil," a dúirt siad, "in áit bheith ag útamáil le péint i rith an ama."

I rith an tráthnóna sin shuigh Camille ag amharc ar Vincent ag obair. Bhí sé iontach te ach d'oibrigh Vincent leis go gasta. Rinne sé pictiúr de na páirceanna lusanna gréine agus den ghrian féin.

Thug Camille 'Fear na Lusanna Gréine' air ina intinn féin.

"Dá mbeinn saibhir, cheannóinn do chuid pictiúr uilig,"
ar seisean.

"Nach cineálta thú, a chara," arsa Vincent agus é ag
gáire.

Ar theacht ar ais ó na páirceanna do Camille agus Vincent,
bhí cuid de na páistí as scoil Camille ag fanacht leo.

Thosaigh siad a scairteadh ar Vincent agus a chaitheamh
cloch leis.

Ba mhian le Camille go stadfadh siad—ach cad é a thiocfadh
leis a dhéanamh? Ní raibh ann ach gasúr beag.
Sa deireadh rith sé abhaile agus na deora leis.

"Éist, a Camille," arsa a athair.

"Is minic a dhéanann daoine gáire faoi rudaí atá
difriúil. Ach tá mise den bharúil go dtiocfaidh lá
nuair a bheidh an domhan mór ag baint pléisiúir as
pictiúir Vincent."

An oíche sin, bhí brionglóid
aisteach ag Camille.
Chonaic sé Vincent ina
sheasamh faoi sholas na gealaí
go hard os cionn an tsráidbhaile.

Bhí coinnle ar a hata aige sa dóigh go dtiocfadh leis rudaí a fheiceáil.

Bhí Vincent ag déanamh pictiúir de na réaltaí!

Go luath maidin lá arna mhárach, mhúscail Camille agus buillí troma á mbualadh ar an doras.

Bhí cúpla fear de chuid an tsráidbhaile ansin le labhairt lena athair.

"Éist, a Fhear an Phoist," ar siad.

"Is mian linn tú an litir seo a thabhairt do do chara. Caithfidh sé a chuid péinteanna a bhailiú agus sráidbhaile s'againne a fhágáil."

D'éalaigh Camille amach an doras cúil agus rith sé síos an tsráid chuig an teach buí.

Bhí sé iontach ciúin istigh.

Ansin chonaic Camille na lusanna gréine a thug sé do Vincent—bhí siad uilig feoite, marbh. Ba mhó arís an brón a bhí ar Camille.

Tháinig sé ar Vincent thuas staighre ag pacáil a chuid málaí. Bhí cuma iontach tuirseach air ach rinne sé mionghaire le Camille.

"Ná bíodh brón ort," ar seisean. "Tá an t-am agamsa bheith ag péintéireacht áit éigin eile anois, áit éigin a mbeidh dúil ag daoine i mo chuid pictiúr.

Ach ar dtús, fan go bhfeicfidh tú seo . . ."

Thóg Vincent anuas pictiúr mór. Sa phictiúr seo
bhí lusanna gréine Camille agus iad níos mó
agus níos gile ná a bhí riamh!

D'amharc Camille ar an phictiúr.
Rinne seisean miongháire fosta.

"Slán leat, a Fhear na Lusanna Gréine," ar
seisean de chogar, agus rith sé amach as an
teach buí.

Bhí an ceart ag athair Camille. Sa lá atá inniu ann, baineann an domhan mór pléisiúr as pictiúir Vincent agus cosnaíonn gach ceann acu na milliúin punt. Ar fud an domhain tugann na sluaite cuairt ar dhánlanna agus ar mhúsaeim le hamharc ar phictiúir den teach buí, de Camille agus dá theaghlach, agus níos mó ná aon rud eile, de na lusanna buí gréine.

Rugadh Vincent van Gogh san Ísiltír ar 30 Márta 1853. Agus é ina fhear óg, chuaigh sé le bheith ina mhinistir dála a athar. Bhí sé 27 sular thosaigh sé a phéintéireacht i gceart. Nuair a bhí sé 35, chuaigh sé go deisceart na Fraince ar thóir na gréine agus dathanna níos gile. Is anseo a d'éirigh sé cairdiúil le teaghlach Camille. Le linn an ama seo rinne sé corradh le 150 pictiúr cé nár díoladh ach ceann amháin lena linn féin.

D'éirigh Vincent uaigneach agus tinn, agus sa deireadh tháinig mearadh air agus thug sé iarraidh an chluas a bhaint de féin. Tugadh chun na hotharlainne é, ach fiú ansin choinnigh sé leis ag péintéireacht. I mBealtaine 1890 thaistil sé ó thuaidh go Auvers-sur-Oise a iarraidh cuidithe ó dhochtúir eile. Ach go díreach dhá mhí ina dhiaidh sin scaoil sé é féin le gunna. Fuair sé bás ar 29 Iúil agus cuireadh sa reilig áitiúil é, i bhfad ó na dathanna agus ón ghrian ab aoibhinn leis.

Tá tuilleadh eolais faoin leabhar seo agus faoinár gcuid foilseachán uilig ar fáil ó:

An tÁisaonad Lán-Ghaeilge
Coláiste Ollscoile Naomh Muire
191, Bóthar na bhFál
Béal Feirste
BT12 6FE

Fón: + 44 (0) 28 90243864

Facs: + 44 (0) 28 90333719

Ríomhphost: Aisaonad@stmarys-belfast.ac.uk

Suíomh idirlín: http://www.stmarys-belfast.ac.uk/aisaonad/